LEDUC

PAYÉ

ANNULÉ

QUÉBEC

Catalogage avant publication de Bibliothèque et Archives nationales du Québec et Bibliothèque et Archives Canada

Leduc, Stéphanie
    Titi Krapouti et cie
    Bandes dessinées.
    Sommaire : [1] Les 3 règles.
    Pour les jeunes.
    ISBN 978-2-923621-11-1 (v. 1)
    I. Titre. II. Titre: Titi Krapouti et compagnie. III. Titre: Les 3 règles. IV. Titre: Les trois règles.

PN6734.K72L43 2010   j741.5'971   C2009-942400-2

© 2010, Les Éditions Glénat Québec Inc.

Les Éditions Glénat Québec Inc.
9001, boul. de l'Acadie, bureau 1002, Montréal, Québec, H4N 3H5

Dépôt légal :   2009 – Bibliothèque nationale du Québec
                2009 – Bibliothèque et archives du Canada

ISBN : 978-2-923621-11-1
Achevé d'imprimer en Italie en décembre 2009 par L.E.G.O. S.p.A.
sur papier provenant de forêts gérées de manière durable.

TOUTEFOIS, TOUTE LA VILLE SAIT QUE CEUX QUI ONT LE PLUS GRAND MÉRITE...

... SONT LES LIVREURS KRAPOUTI.

HI HI

CAR DEPUIS QUE PÂ KRAPOUTI LIVRE DES CALUMETS DE PAIX POUR LA COMMUNAUTÉ HIPPIE...

CRUNCH

... IL N'Y A PLUS AUCUNE DISPUTE DANS LE VOISINAGE.

ET PUIS IL Y A MÂ KRAPOUTI,

QUI LIVRE LES BÉBÉS AUX NOUVELLES FAMILLES POUR LES CIGOGNES.

BONSOIR MONSIEUR ET MADAME VAVITE. J'AI LE BONHEUR DE VOUS LIVRER VOTRE PETITE IRMA.

2

RA! RA!
RA! RA!

IRMA VAVITE.

ARIII !!

LA VOILÀ !
NOTRE PETITE
FILLE EST ENFIN
ARRIVÉE !

AINSI QUE VOTRE
PETIT GARÇON.

HEIN ?!

WAK !

GARÇON ?
NOUS N'AVONS PAS
COMMANDÉ DE
GARÇON !

IL Y A
CERTAINEMENT UNE
ERREUR. NOUS VOULIONS
COMMENCER PAR UN
BÉBÉ, LE TEMPS
DE VOIR.

SURTOUT QU'IL N'Y
A PAS DE PÉRIODE
D'ESSAI NI DE GARANTIE
SI LE BÉBÉ NE
CONVIENT PAS.

BUAHAHA
HAHAHA !

HO ! C'EST
ENNUYEUX.

QU'EST-CE
QUE JE VAIS
EN FAIRE ?

3

WOUHA !! HA ! HA!

HI! HI! HI!

HI!

BANG BANG

VOUS ÊTES CERTAINS QUE VOUS NE L'AVEZ PAS COMMANDÉ ?

?!

HO! HO! HO!

LES CIGOGNES RIGOLENT.

J'AI L'IMPRESSION QU'ELLES VOUS ONT FAIT UNE BONNE BLAGUE.

WOUHA! HA! HA!

ELLES ONT UN DRÔLE DE SENS DE L'HUMOUR.

NON !

CE N'EST PAS UNE BLAGUE !

C'EST UNE SURPRISE.

ZZZZ

MON PETIT TITI.

4

ET C'EST AINSI QUE TITI LA SURPRISE FUT ÉLEVÉ CHEZ LES KRAPOUTI...

... EN VUE DE REPRENDRE LES RÊNES DE L'ENTREPRISE FAMILIALE.

GUILI GUILI

DÈS SON PLUS JEUNE ÂGE, SES PARENTS ENTREPRIRENT DE LE FORMER À CETTE FIN.

REGARDE TITI, C'EST TON AMIE, IRMA !

ARAH !

À VOS MARQUES ! PRÊTS ?

THONG

GO!GO!GO!

BANG

PARTEZ ! TOUT LE MONDE GALOPE VERS SA MAMAN !

ARRIVÉE

5

TU AS VU SES YEUX ? CROIS-TU QU'IL EST MALADE ?

NON ! NOTRE PETIT A MAINTENANT DE GRANDES ASPIRATIONS !

FHHHH

MALHEUREUSEMENT, EN VIEILLISSANT, IL S'AVÉRA QUE TITI N'ÉTAIT PAS PRÉDISPOSÉ À LA GRANDEUR.

BONJOUR TITI !

SALUT IRMA !

MAIS LES KRAPOUTI NE S'EN INQUIÈTÈRENT PAS CAR ILS AVAIENT LA CONVICTION QUE TITI SAURAIT TROUVER SA PLACE.

POUR L'INSPIRER, ILS LUI RACONTAIENT L'HISTOIRE DE LEUR ANCÊTRE, LE PREMIER LIVREUR KRAPOUTI...

... QUI ÉTAIT UN COUREUR DES BOIS LIVRANT DES ATTRAPEURS DE RÊVES POUR LE CHAMAN DU VILLAGE VOISIN.

GRAND-PÂ KRAPOU

IL LIVRAIT DES RÊVES, TITI. TOI AUSSI, TU PEUX AVOIR UN RÊVE.

UN RÊVE ?

J'AI UN RÊVE.

JE VEUX DEVENIR LIVREUR.

7

9

NEUF ANS APRÈS LA SURPRISE DES CIGOGNES.

ÇA Y EST ! AUJOURD'HUI, C'EST LE *GRAND* JOUR !

PIERROT LE GRAND !

CHOUETTE ! J'AI ENFIN DOUBLÉ DE TAILLE DEPUIS MA NAISSANCE !

TITI 9 ANS

BÉBÉ TITI

DEPUIS LE TEMPS QUE JE M'ENTRAÎNE À GRANDIR...

MON CHÉRI !

LE DÉJEUNER EST PRÊT ! ET JE N'AI GARDÉ QUE LES CROÛTES COMME MON GRAND GARÇON LES AIME.

SALUT MAMAN ! SALUT PAPA ! PAS LE TEMPS DE DÉJEUNER, IL FAUT QUE J'Y AILLE !

AREUH !

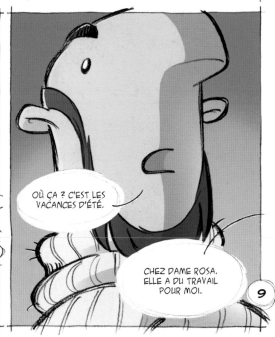

OÙ ÇA ? C'EST LES VACANCES D'ÉTÉ.

CHEZ DAME ROSA. ELLE A DU TRAVAIL POUR MOI.

9

NEIGE D'ÉTÉ
OU LA RÈGLE NUMÉRO 1

ET TITI ALLA À LA RENCONTRE DE SON RÊVE.

FIDÈLE VÉLO, NOTRE HEURE EST VENUE !

ET RIEN NE POURRA NOUS ARR...

SALUT TITI !

IRMA ? MAIS QU'EST-CE QUE TU FAIS AVEC UNE REMORQUE ?

JE T'ATTENDAIS POUR ALLER CHEZ DAME ROSA.

TCHIK

TCHIK !

TU VAS LIVRER ?! MAIS TU N'ES PAS UNE KRAPOUTI !

ET ALORS ?

À ABSURDIDO, C'EST LES KRAPOUTI QUI LIVRENT.

PFF !

N'IMPORTE QUOI. LES KRAPOUTI SONT LES MEILLEURS LIVREURS MAIS PAS LES SEULS.

11

16

ALLEZ, TITI !
C'EST REPARTI !

OUI.
POUF ! POUF !
ON REPART.

GNNN !

ZOOU !

ON VA FAIRE
UN BONHOMME
DE NEIGE !

OUAIS !

HÉ !

DU NERF,
TITI !

TONG

TONG

POUF !
POUF !

HEIN ?!
MAIS...

PLUS VITE,
TITI !

YAK !
LA NEIGE EST
TOUTE MOUILLÉE !

ELLE A COMMENCÉ
À FONDRE, ON DIRAIT
DE LA SLUSH !

OH NON !

BLOB
BLOB

MMM
...

IL EST
TROP LENT.

TIK
TIK

17

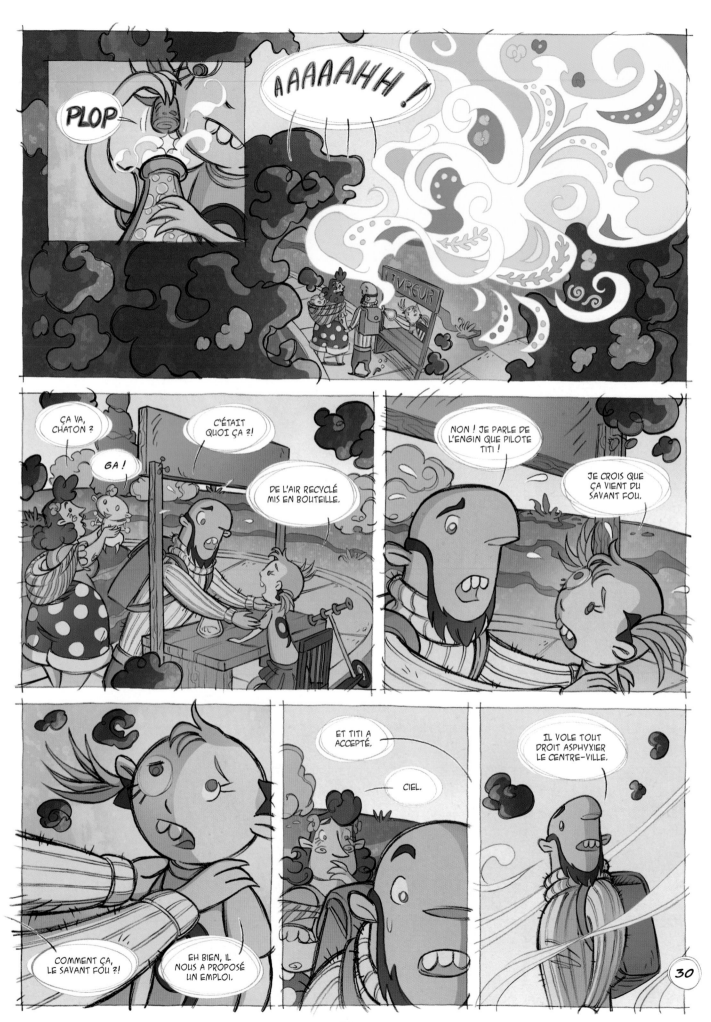

TITI EST DEVENU UN DÉSASTRE ÉCOLOGIQUE À LUI TOUT SEUL.

ÇA IRA !

JE VAIS ARRÊTER TITI ET TOUT RENTRERA DANS L'ORDRE !

ALORS, IL TE FAUDRA PLUS QU'UNE TROTTINETTE POUR ÇA.

?

MERVEILLEUX ! MERVEILLEUX !

MES BOUTEILLES SONT UN SUCCÈS !

ET POURQUOI S'ARRÊTER EN SI BON CHEMIN ? LORSQUE TU AURAS TERMINÉ TES LIVRAISONS, JE TE MONTRERAI MA DERNIÈRE INVENTION...

CLING

CLING CLING

CLING

UN ORDINATEUR QUI ROULE AU CHARBON. ÉCONOMIQUE EN ÉLECTRICITÉ, TU LE LIVRERAS DANS LE MONDE ENTIER !

LE MONDE ! TOI ET MOI, NOUS IRONS LOIN ! MUAHAHAHAHA !

OUI BEN, ON VERRA. POUR LE MOMENT, ABSURDIDO A BESOIN DE MOI.

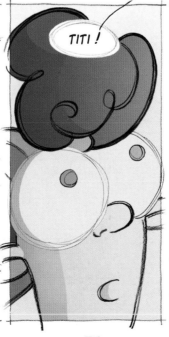

TITI !

IRMA ?!

RRRRRRRR

ROO

ROO

NE L'ÉCOUTE PAS TITI !

33

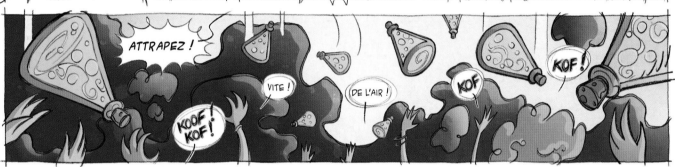

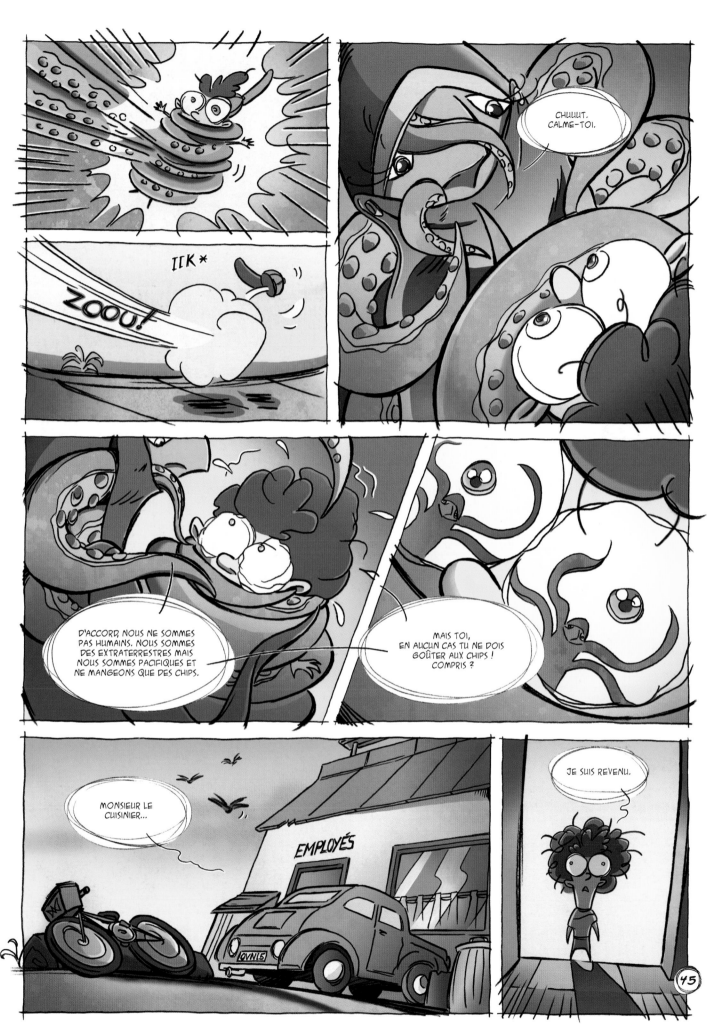

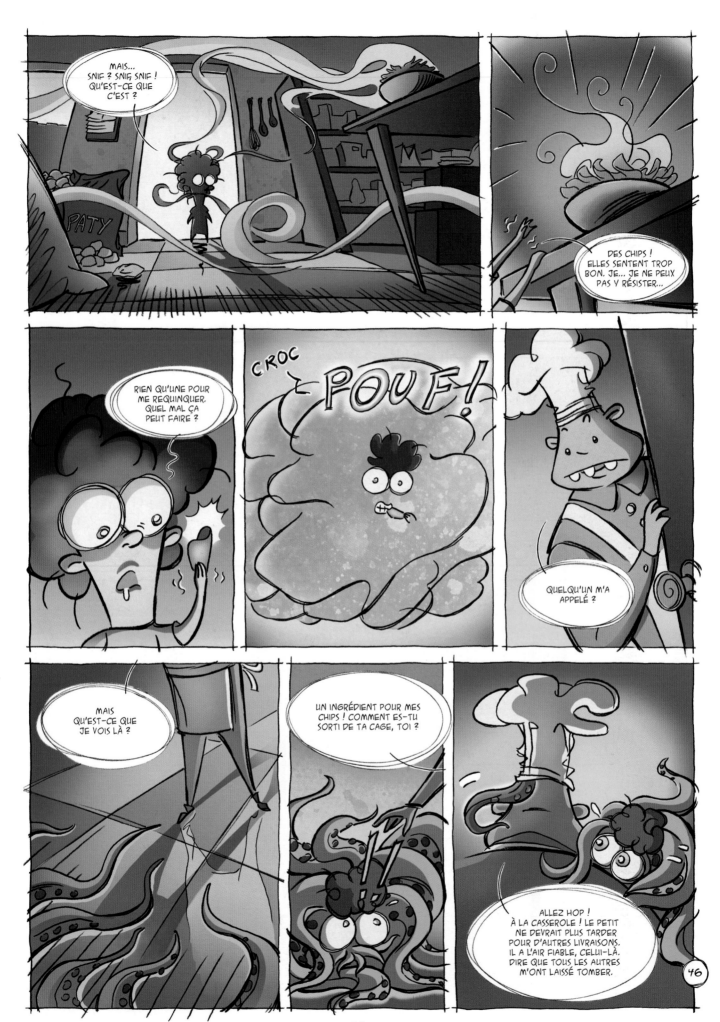